Construire
une civilisation
terrienne

Albert Jacquard

Construire une civilisation terrienne

FIDES   MUSÉE DE LA
                     CIVILISATION

Cette conférence a été prononcée le 8 octobre 1992
au Musée de la civilisation à Québec
et a été publiée pour la première fois en 1993
par le Musée de la civilisation

Données de catalogage avant publication (Canada)

Jacquard, Albert
Construire une civilisation terrienne
2ᵉ éd. —
(Les grandes conférences)
Comprend des réf. bibliogr.

ISBN 2-7621-1713-5

1. Civilisation – 1950- .
2. Civilisation – 20ᵉ siècle.
I. Musée de la civilisation (Québec).
II. Titre.
III. Collection.
CB428.J33 1994   306   C94-940760-7

Dépôt légal: 3ᵉ trimestre 1994
Bibliothèque nationale du Québec
© Musée de la civilisation et Albert Jacquard, 1993.

L'ouvrage est distribué par les Éditions Fides,
165 rue Deslauriers, Saint-Laurent, H4N 2S4,
tél.:745-4290, télex: 745-4299

Les éditions Fides bénéficient de l'appui
du Conseil des arts du Canada et
du ministère de la Culture du Québec.

Je dois vous avouer que j'ai très peu l'habitude de parler dans un musée. Un musée, on s'imagine que c'est un endroit où l'on met les vieilles choses d'autrefois pour les conserver. Mais je découvre aujourd'hui, ici, qu'il ne s'agit pas de conserver, mais plutôt de participer à la construction, à la création. Les civilisations d'autrefois sont en effet bien passionnantes, mais c'est la civilisation de demain qui est importante.

C'est évidemment en grand-père que je vais parler. Quelle va être la civilisation dans laquelle vont baigner mes petits-enfants? Une seule chose est sûre: elle sera différente de la nôtre. Nous sommes en effet à un moment où tout change réellement. Mais ces changements peuvent être merveilleux. Du point de vue des civilisations, nous venons d'ailleurs de vivre des changements remarquables et on ne le dit pas assez. En fait, je m'en suis aperçu en écrivant mon dernier livre, *La Légende de la vie*. Vous savez, écrire un livre c'est s'enseigner à soi-même bien des choses qu'on est obligé d'aller chercher ailleurs. C'est ainsi que je me suis aperçu que notre XXᵉ siècle tellement décrié — et, à vrai dire, à bon droit décrié tant il a été le théâtre de choses épouvantables — est un siècle merveilleux. Il est merveilleux en ce qui concerne les concepts, le regard sur le monde, la compréhension du monde et le regard sur nous-mêmes.

J'aimerais d'ailleurs commencer par là. Faire le point, en cette fin de siècle, sur ce qu'il nous a apporté. À mon avis, il nous a d'abord apporté une lucidité qui a fait des bonds en avant beaucoup plus grands qu'au cours de tous les siècles précédents. Cette lucidité est apparente en particulier sur l'univers qui nous entoure, un univers constitué de matières qui sont dans l'espace et qui se transforment en fonction du temps.

Des concepts qui ont évolué

L'espace et la matière

Voilà trois mots, l'espace, la matière, le temps, qui ont complètement changé de sens au cours de ce siècle. Souvenons-nous, par exemple, il y a environ cent ans, en 1895, quand on a découvert l'électron.

À l'époque, on a pensé que cette petite chose qui tourne autour du noyau d'un atome était un tout petit caillou. C'était un brin de matière, cela semblait une évidence. Eh bien, cent ans plus tard, on ne présente plus du tout l'électron comme un brin de matière. L'électron, nous disent les physiciens, est un paquet d'ondes. Qu'est-ce que cela veut dire? Cela signifie que c'est un endroit où il y a des ondes qui s'accumulent. Mais que sont-elles, ces ondes? Elles sont représentées par une formule mathématique savante qui nous a permis de savoir que le carré de Ψ est égal à la probabilité de présence de l'objet en question. Plus personne n'y comprend rien. Eh oui, plus personne n'y comprend rien. Mais on a compris qu'on ne comprenait pas. Autrement dit, on a compris que la matière n'était pas ce qu'on imaginait, qu'elle n'est pas faite de tout petits cailloux. La matière est plutôt faite d'ondulations, de chocs dans l'espace en fonction du temps. Voilà un effort considérable pour être plus lucide, c'est-à-dire pour comprendre enfin que l'on avait cru comprendre et que l'on n'avait pas vraiment compris.

Le temps

C'est un peu la même chose pour le temps. Songez combien le temps a changé au cours du dernier siècle. Il y a cent ans, c'était un concept relativement clair. Le temps était ce qui s'écoulait tout naturellement; il constituait une espèce de toile de fond devant laquelle les événements se produisaient. Autrement dit, on avait un peu l'impression qu'il y avait, extérieure à l'univers matériel, sur les genoux du Créateur, une espèce d'horloge suisse et que c'était le tic tac de cette horloge qui mesurait le temps. Aujourd'hui, le temps ne ressemble plus du tout à cela. Le temps a disparu. À quatre reprises au moins, les progrès de la science ont complètement miné ce concept de temps.

La première tentative pour détruire le temps, la première réussite je dirai, c'est celle d'Einstein, en 1905. Il nous a fait comprendre que le temps ne peut pas être le même pour deux observateurs: celui qui est au même endroit que l'événement dont on veut mesurer la durée et l'autre qui bouge par rapport à cet événement. Le temps de celui qui ne bouge pas est plus court que le temps de celui qui bouge. Mais voilà qu'on s'aperçoit qu'on n'a pas le droit d'isoler la durée de l'espace. Que se passe-t-il? C'est considérable comme changement. Le temps n'est plus une dimension en soi; il n'est qu'une des quatre dimensions d'un espace-temps. Cela change déjà beaucoup de choses et l'on n'a pas assez mesuré à quel point cela détruisait des quantités de vieilles notions.

Dix ans plus tard, Einstein lançait une deuxième offensive contre le temps. Il s'était aperçu, avec la relativité générale, que la durée changeait lorsqu'on s'approchait d'une masse. Si vous avez une horloge et que vous l'approchez du soleil, elle se met à ralentir dans des conditions qui peuvent être tout à fait étranges au point de détruire le concept d'éternité.

L'éternité n'a plus de sens

Le concept d'éternité, vous en avez tous entendu parler et, au fond, vous savez ce que c'est. Dans cinq minutes cependant, vous ne le saurez plus. En effet, nous dit Einstein, imaginez que vous alliez vous promener près d'un trou noir. Le trou noir est un endroit où il y a une masse extrêmement dense, tellement dense qu'on mettrait toute la masse de la terre dans un petit volume d'un centimètre de rayon. C'est donc très dense et, par conséquent, cela courbe l'espace autour de soi et aussi l'espace-temps. L'une des conséquences des équations d'Einstein est la suivante: j'imagine que l'un d'entre vous, poussé par la curiosité, va se promener en fusée près d'un trou noir pour voir comment c'est fait. Bien sûr, il a tort; il ne verra rien du tout. Mais enfin, il va se promener par là. Imaginons ensuite que sa fusée tombe en panne aux environs du trou noir. Il sera alors attiré par celui-ci et rien ne l'empêchera d'y tomber. Bien sûr, il sait que cela va mal se terminer car, une fois arrivé dans le trou noir, sa densité à lui aussi va devenir énorme, il va être transformé en une pointe d'épingle. J'imagine que, comme consolation suprême, il se souvient de l'équation d'Einstein et que, compte tenu de la distance et des masses, il calcule le temps de sa chute. Il trouve alors 1225 secondes. Finalement, quand il arrive dans le trou noir, juste au moment de mourir, il regarde sa montre: l'équation d'Einstein était juste, les calculs étaient bons, cela a duré 1225 secondes. Là où cela devient étrange, c'est que moi, qui suis très loin, je le regarde dans mon télescope et je le vois tomber d'abord de plus en plus vite puis, tout d'un coup, de moins en moins vite. Sa vitesse de chute diminue à tel point que la durée de sa chute est infinie. C'est, pour moi, une éternité. Autrement dit, l'éternité de celui qui est loin d'une masse se mesure en secondes pour celui qui est plus près de la masse.

Le concept d'éternité lui-même a disparu. Cela n'a pas de sens, l'éternité. Cela dure le temps qu'on veut. Il suffit de se mettre près d'une masse. Cela permet de répondre à Kafka qui disait: «Comme l'éternité doit sembler longue, surtout vers la fin.» En réponse, si l'éternité vous semble longue, allez vous promener près d'un trou noir et vous verrez que cela durera très peu de temps. Je vous présente cela en boutade mais vous sentez combien c'est quelque chose de dramatique ou de très riche de penser que le concept d'éternité a disparu ou qu'il a changé complètement de sens.

Une autre façon de détruire l'éternité, c'est d'évoquer le big bang, qui est encore une découverte de notre siècle. On découvre dans les années 1920-1930 que toutes les galaxies s'éloignent les unes des autres. Par un raisonnement tout simple, on se dit: dans le temps, autrefois, elles étaient plus proches et, en remontant plus loin, elles étaient toutes au même endroit. Combien de temps a-t-il fallu? Aux environs de quinze milliards d'années. Et on appelle cela le fameux big bang. Le big bang, dit-on, c'est le début de l'univers. Mais cela ne peut pas être un début car,

13

en disant que le début se situait il y a quinze milliards d'années, une autre question se pose aussitôt: qu'est-ce qu'il y avait il y a seize milliards d'années? Si la réponse est le néant, ce n'est pas du tout sérieux. En fait, répondre qu'il y avait le néant, c'est déjà beaucoup trop. Il faut répondre qu'il n'y a pas eu de temps avant le big bang. Par conséquent, le big bang ne peut même pas être un début: c'est une origine. Car un début suppose un avant-début. Avant cette conférence, vous attendiez la conférence. Donc, il y avait une avant-conférence et elle a eu un début. Mais il n'y avait rien pour attendre le big bang. Personne ne se disait: alors ce big bang, quand est-ce qu'il se produira? Il est arrivé comme cela mais il n'est pas arrivé dans le temps. Le big bang a créé le temps en même temps que la matière.

Une éternité de 10^{43} secondes

Permettez-moi une dernière constatation à propos du temps et j'arrêterai là mes considérations un peu trop difficiles. Vous avez sans doute entendu parler de la physique quantique. C'est une physique qui tient compte du fait que l'on ne peut pas découper la matière indéfiniment. Il est vrai aussi qu'on ne peut pas découper l'énergie indéfiniment. Il vient un moment où l'on tombe sur de l'insécable. Avec quelques équations pas très compliquées, on démontre que c'est vrai aussi pour le temps. Vous pouvez par exemple découper une minute en soixante secondes. Tout va bien. Une seconde en mille millisecondes et encore en nanosecondes. Mais, quand vous arriverez à 10^{43} secondes, une seconde divisée par 10 à la puissance 43, vous vous apercevrez que vous n'avez plus le droit de découper. Vous êtes tombé sur ce que l'on appelle un «chronon», c'est-à-dire une durée tellement petite, mais non nulle, que l'on ne peut plus la découper. À l'intérieur d'un chronon, il peut y avoir des événements qui ne sont pas vraiment simultanés mais aucun n'est avant et aucun n'est après. Le temps devient flou. Voilà quelque chose d'étrange. À l'intérieur d'un chronon, il n'y a plus ni d'avant ni d'après.

Est-ce que cela ne serait pas au fond une nouvelle définition de l'éternité? L'éternité ne dure pas longtemps, elle dure 10^{43} secondes. On peut encore continuer comme cela et s'apercevoir que, finalement, le temps a disparu. Il y a bien sûr un paramètre que l'on met dans notre équation en le désignant par la lettre T. Mais, quand on s'interroge sur ce que c'est, on revient exactement au niveau de saint Augustin qui disait, quatre siècles après Jésus-Christ: «Le temps, je sais très bien ce que c'est tant qu'on ne me pose pas la question mais, quand on me la pose, je ne sais plus. Mais je sais une chose, c'est que, si rien ne se passait, il n'y aurait pas de temps passé.» Et c'est exactement ce que je vous ai dit à propos du big bang, c'est-à-dire que rien ne se passait avant le big bang. Le temps ne passait pas, il n'y avait pas de temps.

Des idées du siècle dernier

On pourrait continuer comme ceci pour s'apercevoir que notre XXᵉ siècle nous a libérés de nombreuses idées fausses et très ennuyeuses que nous avait données le XIXᵉ siècle. Mais, malheureusement, nous vivons sur ces idées du XIXᵉ siècle car on continue de les enseigner à l'école. Je considérerai deux de ces idées. D'abord, le fameux déterminisme.

Le déterminisme

Le déterminisme est l'ingrédient central de tout raisonnement scientifique. Telle chose entraîne telle autre. Au début du XIXᵉ siècle, Laplace, le grand mathématicien, avait tenu le raisonnement suivant: notre univers est fait de particules. Je ne les connais pas, disait-il, mais elles existent. Ces particules ont des caractéristiques de masse, de charge électrique telles qu'elles interagissent les unes avec les autres en fonction de lois parfaitement connues ou, en tout cas, que l'on pourrait un jour connaître. Elles existent et, par conséquent, si je pouvais connaître l'état de l'univers à l'instant présent, j'en déduirais l'état de l'univers à l'instant suivant et ainsi de suite pour toute la durée. Par conséquent, le présent contient l'avenir. Aujourd'hui contient demain. On raconte que Bonaparte, entendant ce discours, aurait dit à Laplace: «Mais où mettez-vous Dieu dans votre présentation de l'univers?» Et Laplace de répondre: «Dieu est une hypothèse dont je n'ai pas eu besoin.» Sa réponse était bonne mais, si j'avais été Bonaparte, j'aurais posé la question: «Mais où me mettez-vous, moi, dans votre description de l'univers? Car vous êtes en train de dire qu'aujourd'hui contient demain et que, par conséquent, tout a toujours été prévisible. Par exemple, tous les mouvements de mon larynx qui me permettent de parler sont des mouvements de particules qui étaient prévisibles depuis toujours et je n'ai, par conséquent, aucune liberté.» Effectivement, le déterminisme à la façon de Laplace supprime toute possibilité de liberté. La liberté, c'est une invention des poètes, mais nous, les hommes de science, nous savons bien que cela n'existe pas.

Le XXe siècle nous a libérés de cette étrange vision. Malheureusement, cela n'est jamais enseigné en France et je ne crois pas que ce soit enseigné beaucoup plus chez vous. Il s'agit d'une merveilleuse démonstration d'un mathématicien. Vous savez, les grands libérateurs, les grands philosophes, les grands poètes, ce sont les mathématiciens. Le mathématicien en question, c'est Henri Poincaré. Il avait, comme nous tous, appris en classe que, quand il y a le Soleil et la Terre, il y a la gravitation qui se met en place et, avec la fameuse formule de Newton, on conclut que la Terre fait son ellipse autour du Soleil, la même ellipse définitivement. Où sera la Terre dans un milliard d'années? Laissez-moi le temps, je calculerai, je peux le savoir. Mais Henri Poincaré se dit: «Il n'y a pas que la Terre et le Soleil. Il y a aussi la Lune. Il y a une attraction de la Terre sur la Lune, du Soleil sur la Lune, du Soleil sur la Terre; il y a donc trois équations. Évidemment, cela sera plus compliqué qu'avec une seule mais je suis bon en math, je vais y arriver.» Il se met donc au travail, mais il n'arrive pas à trouver la solution. En fait, il trouve infiniment mieux. Poincaré démontre qu'il n'y a pas de solution au problème des trois corps. Par conséquent, la position de la Terre dans cent millions d'années est imprévisible, contrairement à ce que l'on croyait avec Laplace et Newton.

Eh oui, c'est imprévisible. Le calcul a été fait, je crois, il y a deux ou trois ans. Pour prévoir la position de la Terre dans cent millions d'années, il faudrait connaître sa position aujourd'hui avec une précision de l'ordre de la dimension d'un atome et cela n'a même pas de sens. Alors, que nous dit ce brave mathématicien? Il nous dit que l'enchevêtrement des déterminismes apporte l'imprévisibilité. Voilà quelque chose de considérable. Un monde où des déterminismes, même rigoureux, s'enchevêtrent, est imprévisible. Et je n'ai pas besoin de beaucoup plus pour sauver ma liberté. J'ai compris que le monde est imprévisible. Donc, moi qui pense à demain, j'ai la possibilité d'intervenir sur demain. Je peux donc m'affirmer libre. La science ne m'en empêche pas.

La sélection naturelle

Il y a une autre vision grave que nous a donnée le XIXe siècle et contre laquelle il faut beaucoup lutter. Cette idée, pas totalement fausse mais à laquelle on a donné un poids trop grand, c'est celle de la sélection naturelle. C'est l'idée de Darwin qui, pour expliquer l'évolution, déclare qu'il y a, dans une population, des individus meilleurs que d'autres et que la sélection naturelle, heureusement, existe pour éliminer les pas bons et garder les meilleurs, améliorant ainsi la moyenne. C'est bien mais, en fait, cela n'explique absolument pas l'évolution du monde vivant. Au contraire, on peut dire que les bonds en avant du monde que l'on dit vivant ont été le résultat de ratés de la sélection naturelle. Ces bonds en avant ont été provoqués par des êtres handicapés ou mal fichus, par les ratés, les moins bons, qui n'étaient pas comme tout le monde et qui, par conséquent, avaient de temps en temps des pouvoirs que les normaux n'avaient pas. Le premier poisson qui est sorti de l'eau n'a pas dû faire la fierté de sa famille! «Qu'est-ce que tu fais là? Ce n'est pas sérieux. On est si bien dans l'océan. Aller se promener sur la plage, c'est vraiment pas une chose à faire.» J'ai dit cela récemment dans un collège français et j'ai reçu par la suite le petit journal que les élèves avaient publié pour résumer ma conférence. Cette idée était illustrée d'une merveilleuse image où l'un des élèves avait dessiné un poisson debout sur sa queue sur la plage avec une nageoire dans la bouche en se disant (c'est du langage français cela, ce n'est pas du québécois) «J'ai dû faire une connerie». Oui, cela n'est pas sérieux pour un poisson.

De même, le plus beau raté que nous connaissions, celui qui est vraiment la honte de la corporation, c'est le primate que l'on appelle «homo». Il y a six millions d'années, parmi les primates qui sont parfaitement adaptés au milieu de la forêt équatoriale, apparaissent en effet des primates qui sont ratés au point que leurs jambes arrière ne leur permettent pas d'agripper les branches. Ils sont donc obligés de passer par le sol pour aller d'un point à un autre. Cela n'est pas pratique dans la forêt équatoriale car le sol est très encombré, mais ils ne peuvent pas faire autrement. Par conséquent, ce sont des handicapés. Il se trouve que pendant trois millions d'années — et c'est long — la sélection naturelle a oublié d'éliminer ces braves handicapés. Mais trois millions d'années plus tard, à cause de ce qui s'est passé en Amérique, plus exactement à cause de la création du Gulf Stream par le blocage de l'isthme de Panama, voilà que le climat change, que le Gulf Stream apporte de l'humidité en Afrique et que la savane, qui était sèche, devient verte parce qu'elle reçoit beaucoup de pluie. Ce brave primate qui sait marcher sur ses pattes arrière se dit alors: «Je vais aller me promener dans la savane où il y a beaucoup de choses à manger. On y est bien.» Les chimpanzés et les gorilles n'arrivent pas, eux, à venir dans la savane car ils ne savent pas assez bien marcher. Résultat: l'homo a un domaine qui lui appartient où il lui arrive toutes sortes d'aventures, des ratages terribles.

Un jour son cerveau se met à grossir. Catastrophe, il finit par devenir vingt fois trop gros! Le résultat, c'est qu'il ne peut pas naître parce que le bassin de la mère n'est pas assez large. C'est alors qu'il invente le truc de faire naître les enfants au bout de neuf mois de gestation. Ce n'est pas sérieux du tout, ces bêtes sont à peine présentables, à peine capables de survivre. Il en meurt beaucoup. Mais il n'y a aucun moyen de faire autrement. Pour beaucoup de biologistes, il faudrait bien attendre quinze ou seize mois de gestation, si les mamans étaient sérieuses, pour donner un produit à peu près correct.

Mais, malheureusement, cela ne passe pas car il a un cerveau trop gros. De même, il a un larynx trop bas. On ne sait pas pourquoi, à la suite de quelque mutation, son larynx descend après la naissance au lieu de demeurer très haut, en haut du cou. Il ne peut plus par conséquent boire et respirer en même temps, ce qui est très gênant. Mais tous ces handicaps conjugués deviennent un moteur.

Voilà, je crois, l'idée essentielle qui pourrait être à la base d'un renouveau de nos civilisations: un handicap est une source de moteur. Mais arrêtons la description à propos des singes, j'y reviendrai.

Le handicap, source de dépassement

Prenons quelques métaphores. Le plus bel exemple de handicap devenu moteur est celui de ce pianiste, Paul Wittgenstein, qui a perdu sa main droite à la guerre de 1914. Pour lui, son ami Maurice Ravel a composé le *Concerto pour la main gauche*, qui est un chef-d'œuvre en raison du handicap de l'absence de main droite. Imaginez Ravel, obligé d'aller jusqu'au fond de son génie pour arriver à composer une partition pour une seule main, qui doit équilibrer un orchestre entier.

Il en va de même pour le handicap que s'était donné volontairement Georges Perec le jour où il a déclaré qu'il ne pouvait plus écrire les «e». Il ne savait plus quoi faire, sa machine à écrire ayant perdu la touche du «e». Alors il a écrit un roman sans «e»: *La Disparition*. Quand on lit ce livre, on voit bien que c'est le handicap de l'absence de «e» qui est source de la plupart des idées qui s'y trouvent. Le handicap est devenu un moteur.

Mais quel est le rôle d'une société dans tout cela? C'est de dire à chaque enfant qu'il est handicapé, qu'il n'y a pas d'enfant «normal», mais qu'on est là justement pour l'aider à transformer ses handicaps en moteur. On peut lui donner comme exemple justement l'aventure de cet «homo» qui, depuis quelques millions d'années, avec son cerveau trop gros, a inventé une activité intellectuelle fabuleuse et, avec son larynx trop bas, a inventé la prononciation de sons infiniment plus nuancés que tous ceux que peuvent prononcer les autres primates. Car le fait d'avoir un larynx très bas permet en effet d'avoir une caisse de résonance au-dessus des cordes vocales. Ainsi, au lieu de dire «gue» ou «re» ou pas grand-chose de plus comme les petits bébés ou comme les primates ordinaires, on peut dire des choses extrêmement fines comme vous êtes en train d'entendre. Et je ne parle que de l'aspect vocal de la chose.

Nous savons donc parler, ou plutôt nous savons émettre des sons très différenciés. Ce cerveau trop gros avec ses cent milliards de neurones peut en effet constituer après la naissance, et seulement après d'ailleurs, un réseau d'un million de milliards de connexions. Ce réseau, au départ, est totalement incapable de faire quoi que ce soit. Il faut spécifier à ces connexions ce qu'elles auront à faire: celle-ci va bloquer l'influx nerveux, celle-là va le laisser passer dans tel sens, l'autre va le laisser passer dans tel autre. Il y a en fait un million de milliards de décisions à prendre. Construire un cerveau humain, c'est prendre un million de milliards de décisions. Si on les prenait au rythme d'une par seconde, il faudrait trente millions d'années. Mais on n'a pas le temps. Si bien que le cerveau est inutilisable. C'est un potentiel fabuleux mais, si on est tout seul à le construire, on n'y arrivera jamais. Il faudrait des millions d'années.

C'est probablement ce qui a été un handicap pour l'homme de Néanderthal. L'homme de Néanderthal avait, semble-t-il, un cerveau au moins aussi gros que le nôtre. Apparemment, il n'a pas su aussi bien s'en servir. L'une des explications très controversées, c'est que le malheureux avait probablement un larynx haut placé. Par conséquent, il ne savait pas bien parler et il n'a pas su mettre en place un réseau de communications. Finalement, ce que nous avons fait de mieux, grâce simultanément à notre cerveau et à notre larynx, c'est un réseau de communications d'une richesse infiniment plus grande que tous les réseaux de communications des autres animaux. On sait bien que les animaux communiquent. Même les abeilles communiquent: «Là-bas, il y a des fleurs, tu peux y aller, à telle distance, dans telle direction...» Mais — et peut-être qu'on ne sait pas très bien l'interpréter — il semble qu'elles se contentent de transmettre des informations.

Nous aussi, nous transmettons des informations et c'est bien utile. Nous transmettons du savoir, mais nous transmettons beaucoup mieux: des regards, des émotions, des angoisses, des espoirs. C'est d'ailleurs comme cela qu'un cerveau humain se crée. La maman, le papa, la famille et tout le système éducatif transmettent, à l'intérieur de ce cerveau à construire, des blocs, non pas de savoirs, mais de connaissances. J'aime bien écrire «connaissance» à la façon de Paul Claudel: «co-naissance». La connaissance est une naissance. C'est une naissance du monde en moi, une naissance de moi au monde. C'est la construction du cerveau en particulier. Mais cela ne peut se faire qu'en collectivité. Tout seul, on n'y arriverait jamais.

Qu'est-ce que l'homme?

Me voilà donc capable, à ce moment-ci, de proposer une définition de l'homme qui me semble particulièrement riche et qui s'avère une bonne source de réflexion pour construire une vraie civilisation. Je dois par conséquent me poser la question «Qu'est-ce que je suis?» Mais je ne me satisfais pas du tout des réponses classiques du genre «tu n'es pas seulement un animal avec ses organes, tu es aussi un esprit, tu as une âme». Personnellement, je n'aime pas cela. Je n'aime pas cette double nature, d'autant plus que cet esprit semble vraiment bien fragile puisqu'il doit s'en aller dès que quelque chose ne fonctionne pas bien dans mon corps ou dans mes organes. La moindre petite cellule cancéreuse dans mon cerveau et voilà que mon âme s'en ira alors qu'elle était venue d'ailleurs. Je n'aime pas cette explication. J'en propose une autre qui me semble tout aussi belle.

Je n'ai pas une double nature, je n'ai qu'une nature. Je suis fait des mêmes cellules, des mêmes protons et neutrons que n'importe quoi autour de moi. Je suis une poussière d'étoile, mais pas n'importe laquelle. J'ai d'ailleurs été capable de construire un réseau de communications avec les autres et j'ai mis en place depuis cent mille ans un objet plus complexe que moi. Ce qui fait ma richesse, c'est ma complexité, la complexité de mon cerveau. Mais il y a un objet plus complexe que chaque homme: l'ensemble des hommes. Mais qui dit complexe ne dit pas seulement accumulation de beaucoup d'éléments. Qui dit complexe dit surtout subtilité des rapports entre ces éléments, donc des interactions. Si vous prenez cinq milliards d'hommes et que vous les mettez les uns à côté des autres, en rang d'oignons, cela ne crée pas de la complexité. En fait, cela ne sert à rien. Mais si, entre ces hommes, vous mettez en place des réseaux subtils, l'un s'adresse à un autre et cela se répercute sur un troisième. La richesse de cet ensemble fait qu'il a des pouvoirs qu'aucun des éléments n'a individuellement. Car un ensemble a des pouvoirs qui ne sont pas l'accumulation des pouvoirs des éléments.

L'humanité en tant que telle a des pouvoirs qu'aucun homme n'a en lui-même mais qu'elle a parce que ces hommes sont en interaction les uns avec les autres. Parmi ces pouvoirs de l'humanité, il y a la capacité de faire émerger une personne là où la nature avait créé un individu. Je suis un individu fabriqué par son patrimoine génétique et le biologiste, le généticien, m'explique fort bien comment tout cela fonctionne. Mais, si je laisse tout cela fonctionner, jamais je ne dirai «je». Cela tournera dans mon cerveau mais je ne le saurai même pas. Je ne dirai pas «je», je n'aurai pas de conscience. Je dis «je» parce que j'ai été entouré de gens qui m'ont dit «tu». En me disant «tu», ils ont inventé de me prendre pour une personne et m'ont transformé en une personne. Avec cette vision-là, un homme n'a pas une double nature; il a une double source. Il a la source de son patrimoine génétique, bien sûr, mais il a surtout la source des autres. Paraphraser Arthur Rimbaud qui écrivait «Je est un autre» ne me satisfait guère. C'est un peu une fuite. Non, je suis moi. Mais cela ne s'explique que si je continue en disant: «Moi est l'ensemble des liens que je tisse avec les autres.»

Voilà le point de départ: une vision de l'homme qui, me semble-t-il, pourrait être acceptée par toutes les cultures. Nous sommes sur une terre qui, en cette fin de siècle, devient très unitaire. Partout, on est au courant de tout ce qui se passe. Nous avons donc besoin de préserver nos identités, nos spécificités, nos différences. Nous en avons besoin. Il ne faut surtout pas que tous aient les mêmes opinions, les mêmes visions, les mêmes cultures. Mais n'est-il pas nécessaire tout de même d'avoir un minimum en commun? Est-ce qu'il ne serait pas possible de demander à toutes les cultures, toutes les idéologies, toutes les religions, d'accepter un minimum en commun? Et ce minimum ne peut pas être la croyance en telle révélation. Tout le monde ne peut pas croire en Jésus, en Bouddha ou en Marx. Ce serait dommage que tout le monde y croie. Toutefois, vous pourrez croire au moins, au nom de la lucidité, à une définition commune de l'homme. Tout homme, évidemment, quelle que soit sa couleur ou sa forme, appartient à cette espèce étrange qui, en plus de sa nature comme toutes les autres espèces, a fabriqué peu à peu au cours de cent ou deux cent mille ans, une humanité intégrée qui donne à chaque homme une source supplémentaire, la source des autres. La grande aventure des hommes, c'est que cette deuxième source apporte à chaque homme, quel qu'il soit, la capacité de dire «je» et, ayant dit «je», d'être exigeant pour pouvoir continuer à se construire.

Des différences enrichissantes

Je vous propose cette idée qui me semble être le point de départ d'une civilisation terrienne qui ne sera pas une civilisation unitaire, une civilisation qu'on rencontrerait partout pareille. Surtout pas la civilisation du Coca-Cola partout ou du McDo sur les Champs-Élysées. Ce serait plutôt la civilisation des différences reconnues, mais reconnues justement comme une richesse. À partir de ce constat, je suis les liens que j'ai avec toi. Et pour que ce lien soit solide, il faut que tu ne sois pas mon image dans un miroir. Si tu es mon image dans un miroir, on n'a pas de liens, on a l'identité. Il ne se passe rien entre nous. Si tu es différent de moi, si tu penses des quantités de choses différentes des miennes, alors tu m'enrichis.

Voilà le point de départ. Il me semble qu'il ne devrait pas être tellement difficile à accepter à peu près partout. Les marxistes et les chrétiens à qui j'en parle ne sont pas tous d'accord mais, à condition que ce tronc commun ne soit pas trop long, finalement, ils l'acceptent. Après quoi, il faut diverger et arriver à bâtir des cultures, des civilisations qui soient compatibles tout en étant éventuellement presque opposées ou, en tout cas, extrêmement différentes. Il faut,

31

par conséquent, dans ce monde, jouer la compati-
bilité entre tous les hommes et ce «tous les hommes»
va poser problème car nous sommes en train de vivre
quelque chose que l'humanité n'a jamais vécu, c'est-
à-dire l'explosion de notre effectif.

Il faut savoir que, depuis toujours, nous étions
très peu nombreux sur la Terre. Au temps de Jésus-
Christ, nous étions arrivés à 250 millions et il y avait
un équilibre merveilleux qui fait que 1000 ans plus
tard, il y avait encore 250 millions d'hommes. Cet
équilibre merveilleux consistait tout simplement à
faire autant d'enfants qu'on pouvait et à les regarder
périr une fois sur deux. On a trouvé que ce n'était
pas si beau que cela et l'on a alors commencé à trouver scandaleux que les enfants meurent. On a dit non
à la nature. Pendant longtemps, cela n'a pas été efficace mais, surtout depuis deux siècles dans les pays
développés et un demi-siècle dans les pays du Sud,
voilà qu'on a gagné contre la mort. Au lieu d'un
enfant sur deux qui meurt, c'est moins d'un enfant
sur cent dans nos pays. On ne va tout de même pas
revenir en arrière. Seulement, si les hommes con-
tinuent à faire des enfants comme avant, ce sera
évidemment l'explosion. Cette explosion, nous la
vivons: au lieu de 250 millions en l'an 1000, c'est

aujourd'hui cinq milliards deux cents millions. Dans 80 ans à peu près — si ce n'est pas 80 ans, ce sera 90 ou 70 —, dix milliards d'hommes. Il faut bien que cela s'arrête. Quand j'évoque une civilisation pour tous les hommes, c'est une civilisation, non pas pour les cinq milliards d'aujourd'hui, mais pour les dix milliards qu'il y aura sur la terre quand mes petits-enfants auront mon âge.

Comment peut-on imaginer une civilisation terrienne de dix milliards d'habitants? Il faut pourtant le faire. Alors, est-ce qu'on sera encore plus nombreux ou un peu moins? Il faudra de toute façon que cela s'arrête. On pose la question: quel est le maximum d'hommes sur la Terre? La réponse, on ne peut la donner sans poser une deuxième question. Quelle sorte d'hommes? Car cela tient bien s'il y a dix milliards de paysans du Bengladesh, respectueux de la terre et dont toute l'activité s'inscrit dans les cycles de la nature. Il y a de quoi les nourrir. Même vingt milliards, cela irait. Mais, si l'on imagine dix milliards de Parisiens ou de Québécois, alors cela ne tient pas du tout car, nous autres, nous avons quitté ces cycles. Nous dévorons les richesses de la terre qui sont non renouvelables. Nous les détruisons stupidement et puis nous produisons des déchets qu'aucune nature ne peut recycler. La Terre ne peut pas supporter cinq milliards de gens comme nous. Il faut donc imaginer une civilisation de dix milliards d'hommes qui vont vivre en se respectant. Comment va-t-on faire? On est bien obligé d'élaborer quelques scénarios.

Les mauvais scénarios
d'une civilisation terrienne

Premier scénario: celui du «zéro homme»

Il y a des scénarios de la non-civilisation qui sont acceptés facilement. Il y a celui du «zéro homme». C'est très pratique, c'est ce que j'appelle, pour faire sourire, le scénario de l'écologiste intégriste qui, aimant la nature, aimant les petits oiseaux, se dit que la meilleure façon de sauver les petits oiseaux, c'est de tuer tous les hommes. C'est vrai que le jour où le dernier homme disparaîtrait sans faire de dégât, toute la nature pousserait un ouf! terrible. Effectivement, c'est la meilleure façon de sauver les bélugas. Tuons les gens. À vrai dire, contre ce projet-là, je n'ai qu'un argument, mais vraiment un seul: c'est que je suis grand-père et que j'aimerais bien que ces enfants soient sauvés, qu'ils ne disparaissent pas. L'argument, c'est que nous sommes des merveilles. L'argument, c'est que, depuis quinze milliards d'années, l'univers a fait des efforts extraordinaires pour faire du complexe. Il se trouve que sur la terre, cela a été accéléré par quelques événements: l'invention de l'ADN, l'invention de la procréation, c'est-à-dire de s'y mettre à deux pour en faire un troisième, pour faire du neuf à tous les coups. Tout cela a accéléré les choses. L'aboutissement local, c'est la merveille de l'homme. Ce serait trop bête qu'il utilise son pouvoir à se détruire lui-même. Mais, comme je le disais au début de la conférence, il est libre et le prix de la liberté, c'est la capacité de suicide collectif. Tout est prêt. Espérons qu'on va y échapper.

Deuxième scénario: celui du «zéro liberté»

Le deuxième scénario, c'est celui de la compétition, de l'efficacité, de la rentabilité, le scénario finalement non plus du «zéro homme», mais du «zéro liberté». Je sais que, quand je lutte contre la compétition — je m'en suis rendu compte depuis quelques jours —, je choque, ici, en Amérique du Nord. On m'a dit à plusieurs reprises au moment des questions — et peut-être que vous le direz tout à l'heure —: «Mais, si vous supprimez la compétition, vous supprimez le moteur. Il n'y aura plus de progrès humain.» Et il me semblait que toute la salle était d'accord pour dire que le seul moteur du progrès, c'est la compétition. Mais d'où vient cette idée folle? Ce n'est pas vrai que, dans la nature, il y a toujours compétition. Il y a beaucoup de coopération. Dans l'évolution de l'homme, ce n'est pas la compétition qui nous a donné ce que nous avons de plus riche. Ce n'est pas elle qui nous a permis de faire avancer la science.

Les grands scientifiques, les grands découvreurs n'étaient pris dans aucune compétition. Les grands artistes n'étaient pas en compétition. Ils étaient en combat contre eux-mêmes. Les peintres le savent bien. Imaginez Michel-Ange en haut de son échafaudage à la Sixtine; il ne voulait pas faire mieux qu'un autre. De temps en temps, il se battait contre des petits camarades, il se battait contre le pape, mais il se battait surtout contre lui-même. Il fallait qu'il fasse mieux que lui. Tous les peintres le savent bien, ils se battent contre leurs tableaux. Je me souviens d'avoir rencontré Maria Elena Vieira da Silva, cette femme extraordinaire qui vient de mourir. Elle me disait: «Il y a des tableaux avec lesquels je me bats depuis quatre, cinq ans. Ils ne veulent pas que je les termine. Alors je viens de temps en temps, timidement.

Quelquefois je viens pour les violer, mais ils résistent. Je n'y arrive pas. Puis, un jour, ils me le permettent.» C'est un combat qui n'a rien à voir avec la compétition.

Est-ce qu'un artiste est compétitif? Est-ce qu'un poète est compétitif? Est-ce que Shakespeare était compétitif? Et Einstein? Non. Quels sont ceux qui sont compétitifs? Les militaires et les industriels. Mais qu'est-ce qui reste d'eux quelques siècles plus tard ou même quelques années plus tard? Rien. Ce ne sont pas eux qui nous ont fait ce que nous sommes.

Ceux qui m'ont fait, et cela fait partie de la réflexion quand on pense à la civilisation, ce sont ceux à qui je dois dire merci une fois arrivé à un certain âge ou à un âge certain. À qui dois-je dire merci? Évidemment, quand j'avais cinq ans, dix ans, je disais merci à Napoléon. Je ne lui dis plus merci du tout, mais vraiment pas du tout. Il a abîmé mon pays. À qui je dis merci? À de grands Français qui ont fait la France. Van Gogh, par exemple. Vincent Van Gogh, qui était né ailleurs et qui avait un drôle de nom. Il est venu chez moi et il m'a fait cadeau de la Provence et de son soleil; il m'a donné les champs de blé de la Beauce. Et jamais je ne me sens plus en France que

37

quand je vais à Auvers-sur-Oise tout près de Paris. Allez-y la prochaine fois. Allez dans ce petit cimetière en haut de la colline. Derrière le mur où il y a la tombe de Théo et de Vincent Van Gogh, il y a les champs où il est allé se suicider. Van Gogh s'est suicidé parce qu'on lui a fait croire qu'il était un nul, un raté, un pauvre type. Pourtant, il m'a fait cadeau des plus belles choses.

Il y a un autre grand Français — on ne peut même pas prononcer son nom —, c'est Joseph Wrésinski. Il est né en Pologne, puis est venu en France où il a fondé le mouvement ATD (aide à toute détresse) Quart Monde. Il a fait comprendre à un certain nombre de Français qu'il y avait en France un quart monde, même pas un tiers monde. Il nous a ouvert les yeux sur nous-mêmes, sur ce que nous sommes.

Voilà les grands Français à qui je dis merci. Et vous, Canadiens, vous allez trouver toutes sortes de Canadiens étrangers à qui vous direz merci. Ce n'est pas pour dire du mal et être raciste, mais je ne trouve aucun militaire à qui je puisse dire merci.

Je dis merci à saint François d'Assise et, du coup, je dis merci à l'abbé Pierre qui, pour moi, est le saint François d'Assise d'aujourd'hui. Voilà des gens qui créent une civilisation. Que font-ils? Ils parlent, ils vivent et ils respectent. C'est à peu près tout ce que fait l'abbé Pierre. J'ai la chance de vivre un peu à ses côtés depuis un an et il ne m'a jamais fait de prêche, il ne m'a jamais rien dit de profond. Si, une fois quand même. Une fois, avec une amie, nous l'interrogions parce qu'elle voulait faire un livre sur lui. Elle est très athée, très communiste, marxiste. Elle lui pose devant moi la question: «Alors, mon père, vous croyez en Dieu?» Il a répondu: «Bof, ce ne sont pas les mots que j'emploie. Pour moi, je suis, le monde est, alors j'ai bien le droit de penser qu'il y a plus que ce que je vois. Et je dis Dieu est, en ajoutant un seul mot mais aucun autre. Dès que je mets un autre mot, je l'abîme. Dieu est Amour. Et c'est l'Amour qui est Dieu.» Et il me regarde et me dit: «Toi, Albert, il ne faut pas dire Dieu t'aime, comme si cela était une information, Il ne peut faire autrement, Il est amour.» Le reste du temps, l'abbé Pierre agit, il vit, il est.

Le bon scénario d'une civilisation terrienne

Un monde de réseaux et de liens

Est-ce qu'on ne pourrait pas, comme projet de civilisation, imaginer un monde où chacun, avec sa foi, son questionnement intérieur, essaie de construire ce monde de réseaux? Non pas le scénario numéro deux de la compétition, de l'organisation, de la pyramide. Pour que les armées fonctionnent, il faut en effet qu'elles soient organisées en pyramide. En France, quand on devient soldat, le premier jour on nous apprend que la force principale d'une armée, c'est la discipline, c'est-à-dire l'obéissance sans comprendre. C'est le contraire d'une civilisation.

Une civilisation devrait être un endroit où, à chaque fois, on demande à chacun de comprendre et d'adhérer et, s'il n'adhère pas, de dire pourquoi il n'adhère pas et, éventuellement, de faire autre chose. La vision d'une humanité efficace par la compétition, je la vomis, c'est horrible. Être compétitif, cela veut dire accepter de détruire l'autre puisque je dois arriver avant lui. Je dois être un gagnant, donc je dois m'entourer de perdants. Cela n'est pas digne. C'est le contraire de la vision que j'ai de l'homme. Si je fais des perdants autour de moi, je n'ai plus de raison, je n'ai plus d'apport, je n'ai plus de liens. Il faut avoir des liens. Être compétitif, c'est donc se détruire, car on sait bien que cette course à la réussite aboutit à l'abîme. Ce n'est pas sérieux. Pourtant, tous les jours, on ose nous dire cela. Construire une civilisation, c'est oser dire non à la compétition.

Quand je vois la destruction de Ben Johnson, un brave type comme vous et moi, qui a été détruit. On l'a tué cet homme, il a une vie ratée. C'est la même chose quand je vois la destruction de Björn Borg, ce champion de tennis qui a été premier, puis un jour second, troisième, millième. Et il est maintenant détruit. Pour les champions, cela arrive vite. J'entendais Boris Becker l'autre jour, un autre grand champion de tennis, expliquer pourquoi il avait perdu. Il a dit: «Bien sûr, maintenant je commence à perdre, je suis vieux, j'ai 22 ans.» De penser qu'il s'estime vieux à cet âge-là, quelle catastrophe!

Je pense aussi aux courses, à la déperdition humaine de gens qui mettent leur vie en danger pour courir le plus vite possible en tournant en rond tous les quinze jours le dimanche après-midi, en voiture, en bouffant du pétrole, en polluant autour d'eux... Quand on tourne en rond, pourquoi aller vite? C'est fou. Mais personne ne nous le dit. Et on nous demande d'admirer cela. Et l'on habitue nos enfants à admirer des champions. Moi je leur dis: «Attention, le vrai sport, c'est le contraire de la compétition.» Je suis pour le sport, mais c'est un mot qui ne peut pas aller avec compétition. Le vrai sport, c'est se dominer soi-même. Pour faire rire dans quelques réunions, j'ai dit: «Imaginez que je rencontre Ben Johnson, puisqu'il est Canadien, et qu'il me dise "Allez Albert, on va faire un cent mètres".» Comme je serais content de faire un cent mètres avec lui! Qui va avoir la plus belle victoire? C'est moi. Je vais, ce jour-là, grâce à lui, dépasser tous mes records. Je vais courir le cent mètres en trente secondes, lui en douze. Moi je serai content, pas lui. Le vrai sport, c'est contre soi, grâce à l'autre. J'ai besoin de Ben Johnson. Je suis très content qu'il me fasse comprendre qu'avec mon corps à moi... je peux faire mieux tout de même. Il faut que je m'y mette. Voilà le vrai sport. Ce n'est plus de la compétition.

Et dire que l'on ose transformer ce qu'il y a de plus beau dans une culture: l'endroit où l'on fait des hommes, ou plutôt où l'on permet à des hommes de se fabriquer eux-mêmes, le système éducatif, en un lieu de compétition! Il faut être premier, donc détruire le second et détruire le dernier. Je sais ce que c'est. J'ai été, non pas dernier, parce que le seul de ma classe dont je me souvienne, c'est celui qui était dernier. Il s'appelait Bélanger et c'était un type épatant. Moi, j'étais avant-dernier. Cela a failli me détruire. Jusqu'au jour où, bêtement, j'ai été compétitif; mais je m'en repens.

Il faudrait que le système éducatif soit un endroit où l'on transforme complètement la signification du mot «échec». L'échec scolaire, ce n'est pas l'échec de l'enfant, c'est l'échec du système à tous les coups. Comment ose-t-on faire de la compétition quand il s'agit de se construire? Et cette compétition, on en fait même une course de vitesse. Or la vitesse n'a rien à voir avec l'éducation, avec la construction de soi. On ne peut aller que lentement pour se construire, pour comprendre. Celui qui ne comprend pas comprend qu'il n'a pas compris. Donc, il progresse dans la compréhension. Celui qui croit avoir compris «bluffe»; en réalité il va vite et on lui donne une bonne note. Ce n'est pas sérieux.

Vous voyez comment ce troisième scénario, à l'opposé de la compétition et de la concurrence, est un scénario où l'on parle moins d'efficacité, où l'on parle plutôt d'enrichissement les uns par les autres, de regards que de lutte. Car ce n'est pas du tout un monde de laxisme que j'attends. Non, il y a toujours urgence. Ne serait-ce que parce que je suis mortel, je ne dois pas perdre mon temps, je n'ai pas le droit. En outre, nous sommes aidés de tous aujourd'hui par le fait qu'il y a une urgence évidente et collective.

On ne vit pas sans utopie

Nous avons un demi-siècle pour empêcher que l'humanité s'enfonce soit dans le «zéro homme» soit vers le «zéro liberté». Mais nous n'avons guère plus d'un demi-siècle. Nous avons deux générations pour transformer les mentalités, pour juguler l'explosion démographique, pour empêcher de nuire ceux qui veulent nous rendre compétitifs. Un demi-siècle, c'est très court. Il faut donc tout de suite prendre la parole et le dire. Souvent on dit: «Mais que voulez-vous que j'y fasse?» À cela, je réponds: «Faites comme moi, le seul pouvoir c'est le pouvoir de la parole. Dites autour de vous que votre objectif n'est pas de devenir premier mais d'être celui qui va se vaincre lui-même grâce aux autres.» Tout le monde peut le dire. Vous êtes plusieurs centaines. Imaginez que chacun le dise demain à plusieurs centaines. On arrive aux cinq milliards d'hommes d'aujourd'hui très rapidement.

Si vous en êtes convaincus, voici la civilisation que je vous propose: une civilisation de l'égalité au nom de la liberté. Je ne suis pas libre dans un monde où il y a des esclaves. C'est bien évident. Aller vers l'égalité, étant donné les disproportions entre les riches et les pauvres d'aujourd'hui, cela va prendre beaucoup plus d'un siècle. Mais, au moins, on peut essayer de commencer.

C'est une utopie? On peut répondre à cela qu'on ne vit pas sans utopie. On ne peut pas vivre sans utopie. L'utopie du «zéro homme», l'utopie du «zéro liberté», je la laisse à ceux qui ne pensent qu'à se suicider. On peut ensemble faire l'utopie du réseau d'une civilisation où l'on réponde, quand on nous demande d'où on est: «Je suis de la Terre.»